Akcja książek rozgrywa się
w małym szwedzkim
miasteczku Valleby i jego okolicach.

Główni bohaterowie, Lasse i Maja,
chodzą do tej samej klasy
i wspólnie prowadzą
małe biuro detektywistyczne.

Biuro Detektywistyczne Lassego i Mai:

Lasse

Maja

Tajemnica diamentów, Tajemnica hotelu,
Tajemnica cyrku, Tajemnica kawiarni,
Tajemnica mumii, Tajemnica kina,
Tajemnica pociągu, Tajemnica gazety,
Tajemnica szkoły, Tajemnica złota,
Tajemnica zwierząt, Tajemnica meczu,
Tajemnica szafranu, Tajemnica biblioteki,
Tajemnica miłości, Tajemnica kempingu,
Tajemnica galopu, Tajemnica szpitala,
Tajemnica pływalni, Tajemnica urodzin, Tajemnica wyścigu

oraz:

Brązowa księga. Detektywistyczne łamigłówki Lassego i Mai,
Srebrna księga. Detektywistyczne łamigłówki Lassego i Mai,
Złota księga. Detektywistyczne łamigłówki Lassego i Mai,
Pamiętnik detektywa

w przygotowaniu:

Tajemnica pożarów

Wydawnictwo Zakamarki
ul. Romana Maya 1, 61-371 Poznań

www.zakamarki.pl
Tytuł oryginału: *Födelsedagsmysteriet*

First published in 2012 by Bonnier Carlsen Bokförlag, Stockholm, Sweden
Published in the Polish language by arrangement with
Bonnier Group Agency, Stockholm, Sweden

Poznań 2015
Wydanie pierwsze, nakład drugi
Druk: Edica
ISBN 978-83-7776-054-3

Tajemnica urodzin

Martin Widmark
Helena Willis

przełożyła ze szwedzkiego
Barbara Gawryluk

ZAKAMARKI

Osoby:

Maja

Lasse

Komisarz policji

Anita Fatima

Renata Gloss

Leopold

ROZDZIAŁ I

Sto lat!

Barbara Palm podnosi się z miejsca i dzwoni nożem o szklankę. Na jej szyi błyszczy naszyjnik z wielkim diamentem.

Obok Barbary siedzi Muhammed. Jest bardzo szczęśliwy. Nic dziwnego, bo to on ma dzisiaj urodziny.

Na stole przed nim stoi świecznik z płonącą świecą.

– Barbara dostała ten diament od Muhammeda – szepcze Maja do Lassego. – W prezencie ślubnym.

Lasse kiwa głową i kładzie palec na ustach.

Barbara znowu dzwoni o szklankę
i w dużej sali restauracyjnej hotelu
miejskiego robi się cicho.

Pastor szepcze do Ivy Ross:

– Barbara zaraz wygłosi mowę.

Iva Ross uśmiecha się do pastora,
a potem mówi do swojego psa, który
leży na jej kolanach:

– Słyszałeś, Karlu Filipie? Musimy być
cicho. Ciocia Barbara będzie przemawiać.

Barbara poprawia okulary i zaczyna:

– Drodzy goście! Mieszkańcy Valleby!

– *Fantastico!* – wykrzykuje Dino
i posyła Barbarze całusy.

– Ciiii – ucisza go
komisarz policji.

– *L'amore*, miłość!
Czuję ją w powietrzu! –
wzdycha Dino i posyła
Barbarze kolejne całusy.

Barbara kręci głową, uśmiecha się
i mówi:

– Moi drodzy! Chciałabym…

W tym momencie Ronny Hazelwood
zaczyna szlochać. Wszyscy spoglądają
w stronę właściciela hotelu.

– Przepraszam – mówi Ronny.
Bierze serwetkę leżącą
na talerzu i głośno
wydmuchuje nos.

– To takie… takie…
wzruszające.
Po policzkach płyną mu łzy.

– Proszę o spokój! – rozkazuje
komisarz policji. – W imieniu prawa!
Weź się w garść, Ronny! Dino z pastorem
i cała reszta też. Pozwólcie Barbarze
mówić dalej.

– Dziękuję, Randolfie – odzywa się
Barbara.

Lasse i Maja wymieniają spojrzenia i z trudem powstrzymują się od śmiechu.

– Dzisiaj jest bardzo szczególny dzień – mówi Barbara.

– Alleluja! – wykrzykuje pastor, ale natychmiast cichnie, bo komisarz policji gromi go wzrokiem.

– Dzisiaj mój najdroższy, złociutki jubiler kończy pięćdziesiąt lat – oznajmia uroczyście Barbara.

Komisarz policji Randolf Larsson zrywa się z krzesła i machając rękami, daje znak pozostałym. Wszyscy wstają z miejsc. Oczywiście wszyscy oprócz Muhammeda Karata.

– *Sto lat, sto lat, niech żyje, żyje nam!* – zaczyna komisarz policji i zaraz dołączają do niego pozostali.

Po odśpiewaniu „Sto lat!" goście znowu siadają przy stołach.

– Amen – mówi pastor.

– O, dziękuję! – wzdycha Muhammed. – Och, Barbaro, światło moich oczu. Mój ty wielbłądzie na pustyni. Moja gwiazdo na niebie. Mój namiocie w oazie. Mój...

– Dobrze już, dobrze – przerywa mu Barbara i całuje go w łysinę. – Dzisiaj kończysz pięćdziesiąt lat.

– Pięćdziesiąt? – Iva Ross szepcze cokolwiek za głośno do pastora. – Według mnie wygląda na co najmniej

sześćdziesiąt pięć. A nawet siedemdziesiąt. Ale to pewnie przez te okropne wąsy.

– Przed Bogiem wszyscy mamy tyle samo lat – odpowiada pastor, z powagą kiwając głową.

Barbara udaje, że nie słyszy, o czym rozmawiają Iva i pastor.

– Czas na prezenty! – woła. – Prawda?

– Tak! – odpowiadają wszyscy zebrani w sali restauracyjnej hotelu miejskiego.

Prezent dla pierniczka

Ale ja już dostałem prezenty! – woła Muhammed Karat.

Zdziwiony patrzy na Barbarę, która uśmiecha się do niego zagadkowo.

– Ten wieczór będzie naprawdę pełen niespodzianek – mówi tajemniczo Barbara.

– Cóż to moja Barbara mogła wymyślić? – Muhammedowi błyszczą oczy.

Barbara wskazuje głową na drzwi prowadzące do kuchni i mówi:

– Tylko ja i troje moich pomocników za tymi drzwiami wiemy, co się wydarzy dzisiejszego wieczoru.

Muhammed nic nie rozumie. Patrzy
na prezenty leżące na stoliku obok.

– Od Siv Leander dostałem szalik
zrobiony na drutach. Od Runego
Anderssona pusty klaser na znaczki –
wylicza. – A od pastora książkę
o ptakach...

– Kosztowała sto czterdzieści osiem
koron! – woła pastor. – Są w niej opisane
prawie wszystkie gatunki ptaków.
Można się dowiedzieć, co jedzą i jak się
porozumiewają.

– Pastor ją czytał? – pyta Iva Ross.

– Nie raz – odpowiada pastor.

W tym momencie Barbara klaszcze
w dłonie i otwierają się drzwi do kuchni.

Do sali wchodzą trzy osoby w wysokich
białych czapkach. Wnoszą duży stół.
Lasse i Maja natychmiast kogoś
wśród nich rozpoznają.

– Patrz, to przecież Leopold –
szepcze Maja.

Leopold
piecze
wszystkie
smaczne
ciasta i torty
w kawiarni
Panini &
Bernard.

– Oto mój prezent dla ciebie, moja ty waniliowa bułeczko – oznajmia Barbara.

Muhammed patrzy na cukierników, którzy ustawili się za dużym stołem, i nadal nic nie rozumie.

– Za chwilę tych troje śmiałków przystąpi do konkursu – wyjaśnia Barbara.

– Konkursu? – dziwi się Muhammed.

– Otóż to – odpowiada Barbara. – Ten, kto upiecze dla ciebie najlepszy tort, mój ty pierniczku, wygra osiem tysięcy koron.

Przez salę przebiega szmer poruszenia.

– Osiem tysięcy koron! – wykrzykuje komisarz policji. – Niech mnie kule biją!

– Dałam ogłoszenie do gazety, żeby znaleźć najlepszych cukierników – wyjaśnia z dumą Barbara. – Potem ze wszystkimi osobiście przeprowadziłam rozmowę kwalifikacyjną.

Patrzy czule na Muhammeda, obracając w palcach diament wiszący na jej szyi.

Cukiernicy przez chwilę biegają między kuchnią a salą.

Wreszcie są gotowi. Barbara przedstawia uczestników konkursu:

– Leopolda wszyscy znamy. Nikt nie potrafi zrobić tak puszystej bitej śmietany jak on.

Goście biją brawo, a Leopold się kłania. Barbara przedstawia kolejną osobę:

– Po prawej stronie stoi Renata Gloss.
Chyba nikt na świecie nie pobije jej
w pieczeniu tortu marcepanowego.

Renata kłania się. Jest bardzo niska
i wygląda na strasznie zdenerwowaną.
Ale najbardziej zwraca uwagę jej ubranie.
Jest całe w plamach.

– Ale z niej flejtuch – szepcze Lasse.

Renata Gloss dłubie sobie przez chwilę
palcem w uchu. Potem przygląda się
czemuś, co najwyraźniej zostało jej
pod paznokciem.

– Na koniec pozwolę sobie przedstawić
Anitę Fatimę.

– Toż to prawdziwy anioł! – wzdycha
pastor. – Co za włosy, co za buzia!

– Niektórzy z was może pamiętają
Anitę – dodaje Barbara. – Kilka lat temu
została wybrana najpiękniejszą świętą
Łucją Szwecji.

– Wszystko jasne! – woła pastor.

– Ale potem Anita Fatima wykształciła się na cukiernika – wyjaśnia Barbara.

Anita podchodzi do stołu, przy którym siedzi Muhammed. Pochyla się tak, jakby chciała go pocałować!

Oczy Barbary robią się wąskie jak szparki. Ale śliczna Anita zdmuchuje tylko stojącą przed Muhammedem świeczkę.

Anita grozi palcem:

– Nie wolno igrać z ogniem. Nu, nu, nu!

Barbara oddycha z ulgą i mówi:

– Tort truskawkowy Anity jest znany nawet za granicą.

Wszyscy biją brawo, a śliczna Anita dyga i wraca na swoje miejsce.

ROZDZIAŁ 3

Nikt nie chce spróbować tortu Renaty

Troje cukierników pracuje ciężko nad swoimi tortami na oczach gości.

Śmietanowy tort Leopolda jest coraz wyższy.

– Jak chmura na niebie, na której mógłby spać Jezus – wzdycha pastor.

Renata Gloss rozwałkowuje sporą porcję różowego marcepanu. Potem formuje go na torcie tak, że wygląda jak suknia księżniczki. Renata wyciera ręce w fartuch.

– Mam nadzieję, że przed konkursem umyła ręce – szepcze Maja do Lassego.

Renata patrzy nagle znad swojego tortu tak, jakby słyszała szept Mai.

Bierze jajko i podchodzi do kosza na śmieci. Cały czas patrzy Mai prosto w oczy. Goście skupieni wokół stołu podążają wzrokiem za Renatą.

– Ona jest jakaś dziwna… – szepcze
Lasse.

Renata rozbija jajko o brzeg kosza
na śmieci. Potem przepuszcza zawartość
skorupki przez palce. Białko ścieka
prosto do kosza. Na dłoni zostaje samo
żółtko.

Renata jednym ruchem wkłada je
do buzi i połyka.

Lasse, Maja i pozostali zebrani
wzdrygają się na ten widok i otwierają
usta ze zdziwienia. Renata Gloss znowu
wyciera ręce w fartuch.

Konkurs trwa dalej.

Tort ślicznej Anity Fatimy jest już
prawie gotowy. Anita kroi truskawki
na pół i układa je elegancko na szczycie
tortu.

Barbara Palm spogląda na zegarek
i zaczyna odliczać:

– Dziesięć, dziewięć, osiem, siedem, sześć, pięć, cztery, trzy, dwa, jeden, zero… Koniec!

Troje cukierników z zadowoleniem przygląda się swoim tortom.

– Teraz rozstrzygniemy konkurs! – woła Barbara, klaszcząc w dłonie. – Proszę bardzo, Leopoldzie. Zacznijmy od ciebie.

Leopold odkrawa kawałek swojego tortu. Podchodzi do stołu i stawia talerzyk przed Muhammedem.

– Użyłem prawie dwóch litrów śmietany – mówi z dumą.

Muhammed nabiera na łyżeczkę dużą porcję tortu śmietanowego i wkłada ją do buzi. Mlaszcze i mruży oczy z zachwytu.

– Jest naprawdę pyszny – chwali.

Wszyscy biją brawo, a Leopold kłania się głęboko.

– Zapraszam następną zawodniczkę – mówi Barbara. – Renata Gloss!

Renata kroi duży kawałek swojego tortu i kładzie na talerzyku. W połowie drogi do stołu Muhammeda Renata zatrzymuje się i zaczyna dłubać w nosie.

Goście wzdychają zniesmaczeni.

– Obrzydliwe! – jęczy Ronny.

Renata wyciera palec w fartuch, a potem stawia przed Muhammedem talerzyk z różowym tortem. W restauracji hotelu miej- skiego zapada kompletna cisza.

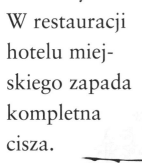

– Eeeee… – stęka Muhammed. – No nie wiem…

Renata Gloss świdruje go wzrokiem. Czoło Muhammeda błyszczy od potu.

– Okej – poddaje się w końcu i nabiera na łyżeczkę kawałek tortu.

Drżącą ręką podnosi łyżeczkę do ust.

– O nie! – stęka. – Nie dam rady. Jestem taki… najedzony!

Renata, wściekła, wraca na swoje miejsce. Patrzy ponuro na Muhammeda. Przez chwilę wszyscy obserwują Renatę i Muhammeda. Uważają, że Muhammed zachował się bardzo odważnie, odmawiając zjedzenia tortu Renaty.

– Nadszedł czas na ostatnią uczestniczkę konkursu – mówi Barbara.

Anita Fatima stawia przed Muhammedem kawałek tortu truskawkowego.

– Tort truskawkowy z kremem cytry-
nowym – mówi, uśmiechając się słodko.

Muhammed nabiera na łyżeczkę duży
kawałek tortu i natychmiast wkłada
do ust.

– Mówił pan, że już nic nie zmieści –
syczy Renata Gloss.

Muhammed zamyka oczy i głośno
rozkoszuje się smakiem ciasta.

– Nie zmieściłbym marcepanowego
tortu – odpowiada, nie otwierając oczu. –
Ale truskawkowy to co innego. Jest
rzeczywiście znakomity.

Anita posyła Muhammedowi jeszcze
słodszy uśmiech.

– To jak? – pyta Barbara. – Kto wygrał?

– Nie mam najmniejszych wątpliwości – odpowiada Muhammed.

W sali robi się zupełnie cicho.

– Najlepszy tort upiekła Anita Fatima. Koniecznie muszę dostać przepis!

Wszyscy z wyjątkiem Renaty Gloss biją brawo. Anita Fatima kręci głową. Szybko podnosi ze stołu jakąś karteczkę.

– Przepis to tajemnica – mówi i drze kartkę na małe kawałki, które wyrzuca do kosza na śmieci.

Barbara wręcza zwyciężczyni konkursu osiem tysięcy koron.

– Gratuluję wygranej – mówi Barbara i ściska dłoń Anity Fatimy.

– My też chcemy spróbować! – woła komisarz policji.

– A ja poproszę kawałek tortu śmietanowego Leopolda – odzywa się Iva Ross.

– Ja odrobinę truskawkowego. –
Pastor podstawia swój talerzyk.

Anita Fatima i Leopold zaczynają kroić
swoje torty. Po chwili wszyscy zajadają
się ciastem, śmieją się i dobrze się bawią.

Wszyscy oprócz Renaty Gloss, która
stoi z założonymi rękami wpatrzona
w ścianę. Nikt nie chce spróbować
jej tortu!

Nagle za oknami rozbłyskuje
jakieś światło.

Słychać huk,
jakby eksplodowała
bomba.

Wszyscy aż
podskakują.

– Co to było? –
niepokoi się
komisarz policji.

ROZDZIAŁ 4

Czy ktoś mnie widzi?

Rozlega się kolejna eksplozja
i światło rozjaśnia całą salę.

Barbara śmieje się zadowolona
i podchodzi do okna.

– Pora na fajerwerki! – woła.

Wszyscy goście ruszają do okien,
żeby zająć jak najlepsze miejsca.

Za oknami race strzelają w górę jedna
za drugą. Eksplodują kaskadami świateł
na tle ciemnego nieba.

Małemu Karlowi Filipowi nie podoba
się ten hałas.

– Dobrze, dobrze – uspokaja go Iva
Ross i klepie pudla po grzbiecie. –
Nic się nie bój. Mamusia jest przy tobie.

Barbara Palm przytula się do swego
ukochanego Muhammeda Karata.
– Wszystkiego najlepszego! – szepcze.

Kiedy na zakończenie pokazu
wybucha największa i najgłośniejsza
raca, Muhammed szepcze czule do ucha
Barbary:

– Najdroższa...

Wtedy w sali gaśnie światło i robi się
zupełnie ciemno!

Na krótką chwilę zapada cisza.

Barbara czuje, jak ktoś całuje ją w kark.

– Ach, Muhammedzie! – szepcze.

– Najdroższa... – powtarza Muhammed.

– Halo! – W ciemności rozlega się głos
pastora. – Czy ktoś mnie widzi?

Pudel Ivy Ross zaczyna wyć,
a komisarz policji woła:

– To tylko awaria prądu. W imieniu
prawa! Bez paniki!

Nagle słychać jakiś rumor. To Barbara
na coś wpadła i się przewróciła.

– Wszystko w porządku, gołąbeczko? –
pyta Muhammed.

– Tak, tak – uspokaja go Barbara. –
Ale kto postawił tuż za mną to krzesło?

– Halo! – woła znowu pastor. –
Czy ktoś mnie widzi?

W tym momencie powraca światło
i wszyscy oddychają
z ulgą. Pies Ivy
przestaje wyć.
Komisarz policji
i dyrektor hotelu
Ronny Hazelwood
wychodzą z szatni.

– Ktoś wyłączył
prąd – wyjaśnia
komisarz policji.

Urocza Anita Fatima podnosi rękę.

– Może po to, żebyśmy lepiej widzieli
fajerwerki?

– Nie dość, że piękna i zdolna,
to jeszcze inteligentna! – mówi pastor
do Ronny'ego Hazelwooda.

Komisarz policji zaciera ręce:

– Proponuję powrócić do tortów.

Barbara schyla się, żeby postawić
krzesło, o które się potknęła. W tym
momencie Muhammed robi się kompletnie blady. Wskazuje na nią drżącą ręką.

– Barbaro! Nie ruszaj się! Stało się
coś strasznego!

ROZDZIAŁ 5

Szukaj!

Twój na… na… na… naszyjnik… –
jąka się Muhammed.

Barbara patrzy na swojego męża
wielkimi oczami i dotyka dłonią szyi.

– Nie!!! – krzyczy.

Naszyjnik z wielkim
diamentem zniknął.
W sali wybucha
ogromne zamieszanie.

Komisarz policji
robi krok w przód
i unosi obie ręce.

– Spokój! – apeluje
do gości. – W imieniu
prawa, spokój!

Patrzy na Lassego i Maję, którzy dyskretnie kiwają głowami.

Nie mają wątpliwości, że ich biuro detektywistyczne ma do rozwiązania nową zagadkę.

Maja podchodzi do komisarza policji i szepcze mu coś do ucha.

Komisarz przytakuje i woła:

– Czy są tutaj wszyscy?

– Tak – odpowiadają zgromadzeni w sali restauracyjnej.

– Świetnie – odpowiada komisarz
policji, po czym zwraca się szeptem
do Mai: – A teraz, Maju? Co dalej?

Maja wzdycha i mówi:

– To miało się odbyć trochę inaczej…

Komisarz patrzy na nią pytająco,
więc Maja kontynuuje:

– Wszyscy powinni usiąść na swoich
miejscach. Wtedy zobaczymy, czy jakieś
krzesło nie stoi puste.

– Sprytnie – chwali Maję komisarz
i siada na swoim krześle.

Po chwili wszyscy wracają na miejsca,
a troje cukierników staje za stołem.

– Nikogo nie brakuje – stwierdza
Lasse. – A to znaczy, że naszyjnik też
musi tu być.

– Alleluja! – woła pastor. – Naszyjnik
tu jest!

– Nic pani nie poczuła? – Lasse zwraca
się do Barbary.

– Poczułam tylko, jak Muhammed
całuje mnie w szyję. –
Barbara pociąga
nosem.

Muhammed
patrzy na nią
zdziwiony.

– Nie całowa-
łem cię – mówi.

– Nie? Ale ja przecież czułam… –
dziwi się Barbara.

Do Muhammeda dociera, że ktoś inny
pocałował jego żonę. Zgrzyta zębami
z wściekłości.

Nagle Iva Ross stawia swojego psa
na podłodze.

– Szukaj! – rozkazuje.

Karl Filip rozgląda się zdezorientowany
dookoła, po czym wskakuje z powrotem
na ciepłe kolana Ivy.

– Wszyscy zostają na swoich
miejscach! – mówi zdecydowanie Maja.

Potem razem z Lassem przeszukują salę.
Patrzą pod stoły, zaglądają za obrazy
i lustra, ale nie znajdują naszyjnika.

Komisarz wstaje z krzesła.
Przechadza się tam
i z powrotem przed
gośćmi i cukiernikami.

Od czasu do czasu zatrzymuje na kimś wzrok, a potem idzie dalej.

– W tej sytuacji zmuszony jestem sięgnąć po inne metody – oznajmia w końcu.

Rozgląda się po sali, a następnie wydaje polecenie:

– Postawcie swoje torebki na stole.

– Co takiego? Ja nie mam torebki – mówi Ronny.

Komisarz wzdycha i wyjaśnia:

– Wszyscy, którzy m a j ą torebki, stawiają je na stole. To miałem na myśli, Ronny.

Siv, Iva i inne panie sięgają po torebki i stawiają je przed sobą na stole.

– Maju! – odzywa się komisarz policji. – Sprawdź torebki. A ty, Lasse, przeszukaj wszystkim kieszenie.

Lasse i Maja przez dłuższą chwilę szukają drogocennego naszyjnika w torebkach i kieszeniach. Nic jednak nie znajdują.

– Aha! – wykrzykuje nagle komisarz i odwraca się w stronę cukierników. – Pokażcie mi, co macie w swoich czapkach!

ROZDZIAŁ 6

Niespodziewana łysina

Anita Fatima zdejmuje czapkę.
Jasne loki opadają jej na ramiona.
– Ach! – Pastor wzdycha z zachwytem.
Komisarz policji zagląda do czapki,
ale nic nie znajduje.
– Następna –
mówi.

Renata Gloss zdejmuje czapkę.
Pokazuje komisarzowi policji,
że czapka jest pusta, i wystawia język.

Komisarz mruczy pod nosem coś
o szacunku dla policjanta na służbie.
Potem podchodzi do trzeciego
cukiernika.

– I ty też, Leopoldzie – mówi.

Leopold przestępuje z nogi na nogę.

– Zdejmij czapkę! –
rozkazuje
komisarz.
Lasse
uświadamia
sobie, że
właściwie
nigdy nie
widział
Leopolda
bez czapki.

47

Zawsze ma ją na głowie, kiedy pracuje
w kawiarni Dina i Sary.

Komisarz policji wyciąga rękę.
Leopold kręci głową.

– Wygląda na to, że znaleźliśmy
złodzieja – mówi zadowolony
komisarz i robi krok w kierunku
Leopolda.

Wtedy Leopold zdziera czapkę
z głowy. Goście aż podskakują z wrażenia.
Jedyny cukiernik w Valleby jest łysy
jak kolano!

– To dlatego nie chciał zdjąć czapki… –
szepcze Maja do Lassego.

– No cóż – mówi komisarz policji. –
Wszystkich nas to czeka.

Przeczesuje resztkę włosów na swojej
głowie i zagląda do czapki Leopolda.

– Pusta! – wzdycha. – Do stu tysięcy
diabłów! Pusta!

Wściekły Leopold wkłada czapkę
z powrotem na głowę.

Komisarz patrzy w kierunku Lassego
i Mai, którzy tylko kręcą głowami.
Oni też nie wiedzą, co dalej robić.

– Karl Filip musi wyjść na siusiu –
odzywa się Iva Ross.

– A ja muszę wrócić do kościoła
i powiedzieć dobranoc Jezusowi i Panu
Bogu – mówi pastor.

Komisarz policji wie, że nie może
dłużej przetrzymywać gości.

Sala powoli pustoszeje. Zostają tylko
cukiernicy, Ronny Hazelwood, komisarz
policji, Lasse i Maja.

– Jutro opuszczam to straszne miasto –
mówi Renata Gloss.

Chwyta swój tort marcepanowy
i wyrzuca go do śmieci.

Lasse i Maja widzą, jak Leopold
wzdryga się, kiedy tort ląduje w koszu.

– Bardzo przykra historia – odzywa
się Anita Fatima. – I choć wygrałam
konkurs, nie potrafię się z tego cieszyć.
Dobranoc!

Renata i Anita wychodzą z restauracji.
– Obie mieszkają w hotelu – wyjaśnia
dyrektor Hazelwood. – Anita w pokoju
numer trzynaście, a Renata w pokoju
numer czternaście.

Leopold i komisarz policji też opuszczają restaurację.

– Zajmę się tym – mówi Ronny, pokazując na brudne naczynia i worek ze śmieciami.

– Pomóc panu? – pyta Lasse.

Ronny nie odpowiada, tylko ciężko wzdycha.

Lasse i Maja rozumieją, że woli zostać sam.

Na dole w recepcji zegar wybija jedenastą.

Za ladą ziewa Rune Andersson.

– Idę się położyć. Traficie do wyjścia, prawda? – mówi do Lassego i Mai. – Przypilnujcie tylko, żeby drzwi się zatrzasnęły.

Rune znika w swoim kantorku.

– Wydaje mi się, że to będzie
nasza pierwsza nierozwiązana
sprawa – wzdycha Lasse.

Idzie w kierunku drzwi, ale
wtedy Maja chwyta go za ramię.

– Nikomu nie uda się
tak łatwo oszukać Biura
Detektywistycznego Lassego
i Mai – szepcze. – Chodź, Lasse!

ROZDZIAŁ 7

Rozmyślania w magazynku

Do widzenia! – woła Maja przez ramię.
Otwiera drzwi wejściowe i zatrzaskuje
je z hukiem.

– Co robisz? – pyta Lasse.

– Teraz Rune myśli, że poszliśmy –
szepcze Maja z tajemniczym uśmiechem.

– Ale po co mamy tu zostać? – pyta
Lasse.

– Żeby szpiegować – wyjaśnia Maja.

– Ale kogo? Przecież nic nie wiemy.

– Musimy dowiedzieć się więcej –
mówi Maja. – Nie możemy się tak łatwo
poddać.

Słyszą, jak dyrektor hotelu Ronny
Hazelwood schodzi po schodach.

Maja wciąga Lassego za jakieś drzwi.
Potem patrzy przez dziurkę od klucza.

– Sprząta po imprezie – szepcze
do Lassego. – Teraz idzie wyrzucić worek
ze śmieciami.

– Z tortem Renaty – mówi Lasse.

– Niezła z niej fleja, co? – śmieje się
Maja. – Kto chciałby spróbować jej tortu?

Ronny przechodzi obok drzwi,
za którymi się ukrywają.

Lasse i Maja rozglądają się dookoła.

Znajdują się w magazynku. Wokół nich
na półkach leżą obrusy, prześcieradła,
kołdry i poduszki.

Lasse bierze dwie poduszki i kładzie je
na podłodze.

– Usiądźmy na chwilę – mówi.

Lasse i Maja siadają na poduszkach
i przykrywają nogi kołdrą.

– Zacznijmy od końca – proponuje
Lasse.

– Okej – zgadza się Maja.

– Ktoś kradnie naszyjnik
Barbary – zaczyna Lasse.

– Z diamentem, który jest wart milion –
dopowiada Maja.

– Złodziej wyłącza prąd... – mówi
Lasse.

– ...kiedy wszyscy oglądają fajerwerki –
kończy Maja.

– To znaczy, że złodziej musiał wiedzieć
o pokazie sztucznych ogni – domyśla się
Lasse.

– Kto w hotelu wiedział o fajerwerkach? – zastanawia się Maja.

– Barbara Palm – mówi Lasse.

– Czy ukradłaby swój własny naszyjnik? – pyta Maja.

– Oczywiście, że nie. Ale poczekaj… – mówi Lasse. – Co powiedziała Barbara Muhammedowi o swojej niespodziance?

Maja myśli przez chwilę.

– *Tylko ja i troje moich pomocników wiemy, co się wydarzy dzisiejszego wieczoru.*

– Cukiernicy! – wykrzykuje Lasse. – Tylko oni i Barbara wiedzieli o fajerwerkach!

– Dlatego, że konkurs na tort musiał zostać rozstrzygnięty przed odpaleniem pierwszej racy – mówi Maja.

– Więc Barbara opowiedziała cukiernikom o pokazie.

– A wtedy ktoś z tej trójki zaplanował, że wymknie się i wyłączy prąd, kiedy

wszyscy będą patrzeć przez okno –
mówi Maja.

– Po to, żeby w restauracji zrobiło się
zupełnie ciemno – dodaje Lasse.

– Z u p e ł n i e ciemno – powtarza
Maja wolno. – To znaczy…

Lasse uśmiecha się.

– Sprytnie, Maju! Z u p e ł n i e ciemno,
czyli nawet świeca nie powinna się palić,
żeby złodziej mógł wkroczyć do akcji.

Oboje mają w pamięci tę scenę:
ktoś nachyla się i zdmuchuje świecę
stojącą przed Muhammedem.

– *Nie wolno igrać z ogniem* –
przedrzeźnia Lasse. – *Nu, nu, nu!*

– Anita Fatima – mówi Maja.

Lasse wyjmuje z kieszeni telefon.

– Pięć minut po dwunastej –
mówi. – Wkrótce wszyscy
powinni spać.

– Masz tu Internet? – pyta Maja, pokazując na telefon Lassego.

– Mhm – mruczy Lasse.

– Sprawdź Anitę Fatimę.

Lasse wpisuje imię i nazwisko.

– Ale gdzie się podział naszyjnik? – zastanawia się głośno Maja.

– Patrz, Maju – mówi nagle Lasse.

Pokazuje jej telefon. Maja widzi początek artykułu prasowego:

Ogień we włosach świętej Łucji
włosy Fatimy
zajęły się
od świec, które
miała na głowie.
By ratować
życie, rzuciła się

Lasse i Maja czytają cały artykuł.

– Zapaliły jej się włosy – mówi Maja.

– To d l a t e g o zgasiła świecę
Muhammeda.

– No to wracamy do punktu wyjścia –
stwierdza Maja.

Lasse wzdycha. To był fałszywy trop.

Nagle Mai zaczyna burczeć w brzuchu.

– To pewnie tort – chichocze Maja. –
Pozdrowienia od bitej śmietany
i truskawek.

– Ale nie od marcepanu – śmieje się
Lasse.

– O nie! – mówi Maja. – Tego tortu
nikt nawet nie spróbował.

Lasse wstrzymuje oddech. Nareszcie
dopasował ostatni element układanki!
Już wie, co się wydarzyło!

– Maju! – mówi. – Chyba wiem,
kto ukradł diament!

ROZDZIAŁ 8

To dlatego dłubała w nosie

Naprawdę?! – dziwi się Maja.

Patrzy zaskoczona na Lassego.

– W i e d z i a ł a, że nikt nie spróbuje jej tortu – wyjaśnia Lasse.

– Nie nadążam – mówi Maja.

– Renata Gloss! – woła Lasse. – Maju, pomyśl tylko! To dlatego dłubała w nosie, kiedy wszyscy na nią patrzyli. Ona n i e c h c i a ł a, żeby ktokolwiek spróbował jej tortu.

Uśmiech rozjaśnia twarz Mai.

– Lasse! – mówi. – Ty jesteś mądry jak… jak… jak… sama nie wiem co. Po prostu jesteś mądry! Dobrze to wykombinowałeś!

– Jej tort miał pozostać nietknięty – wyjaśnia dalej Lasse. – Bo chciała w nim wynieść naszyjnik Barbary.

– Trzeba przyznać, że jest pomysłowa – mówi Maja.

Lasse potakuje i dodaje:

– Zakradła się po ciemku do Barbary i pocałowała ją w szyję.

– A równocześnie rozpięła jej naszyjnik – mówi Maja.

– Barbara myślała oczywiście, że to Muhammed ją całuje – dodaje Lasse.

– Ale coś tu się nie zgadza – mówi Maja.

– Co takiego?

– Renata Gloss jest za niska, żeby pocałować Barbarę w szyję.

Lasse i Maja zastanawiają się przez chwilę w ciszy.

Potem Lasse pyta zadowolony:

– Czy pamiętasz, że Barbara potknęła się o krzesło i upadła?

Maja patrzy na Lassego i potakuje.

– Na tym krześle stała Renata, kiedy całowała Barbarę w kark i kradła jej naszyjnik!

– A za parę godzin opuści Valleby – mówi Maja i patrzy na zegarek.

– Poczekajmy jeszcze chwilę, aż wszyscy usną.

– Wtedy poszukamy naszyjnika Barbary – mówi Lasse. – To nie powinno być trudne, teraz, kiedy wiemy, kto jest złodziejem.

Lasse i Maja długą chwilę siedzą
i szepczą otuleni kołdrą. Czują, jak ich
powieki robią się coraz cięższe.

W końcu zasypiają, oparci o siebie
głowami.

Maja budzi się nagle. Patrzy na zegarek.

– Lasse, obudź się. Jest wpół do piątej!

Lasse przeciera oczy.

Oboje wymykają się z magazynku.

Zatrzymują się obok recepcji, uważnie
nasłuchując.

Lasse i Maja pracowali kiedyś w czasie ferii w hotelu, więc wiedzą, gdzie wisi klucz.

Maja sięga ręką pod ladę w recepcji. Słyszą, jak Rune pochrapuje w swoim kantorku.

– Pasuje do wszystkich drzwi – szepcze zadowolona Maja, trzymając w ręce klucz.

Lasse i Maja wchodzą po szerokich schodach. Zatrzymują się przed pokojem numer czternaście.

– Ja to zrobię – szepcze Lasse.

Maja podaje mu klucz i mówi cicho:

– Wyślę ci SMS, jeśli ktoś się będzie zbliżał. Pilnuj telefonu!

Lasse otwiera cicho drzwi i wkrada się do pokoju Renaty Gloss.

Maja cofa się kilka kroków. Przy oknie chowa się za zasłonę. Wyjmuje telefon i pisze wiadomość do Lassego.

To SMS, który do niego wyśle,
gdyby ktoś pojawił się na korytarzu.

W tym momencie otwierają się drzwi
do pokoju Anity Fatimy!

ROZDZIAŁ 9

W pułapce

Maja przywiera do ściany.
Wstrzymuje oddech i zamyka oczy.

Wysyła SMS do Lassego.

– Lasse, nie wychodź teraz! – mówi
do siebie. – Bo zostaniemy przyłapani.

Słyszy za zasłoną kroki Anity.

Czemu wstała tak wcześnie? Może to
o n a jest złodziejką?

Maja zastanawia się, czy nie popełnili
z Lassem błędu. Może Renata jest
niewinna?

Maja wygląda zza zasłony i widzi,
że Anita schodzi po schodach.

Czy ona idzie do restauracji?
Czyżby naszyjnik wciąż tam był?

Maja opuszcza swoją kryjówkę i cicho idzie za nią.

W bladym świetle poranka widzi, że Anita Fatima szuka czegoś w restauracji.

Muszę ostrzec Lassego – myśli Maja. – Podejrzewamy niewłaściwą osobę!

Maja właśnie ma wracać do Lassego, kiedy widzi, że Anita otwiera szafę i wyjmuje z niej świecznik, który poprzedniego wieczoru stał na stole przed Muhammedem. Palcami dotyka knota.

Teraz Maja rozumie, dlaczego Anita krąży po hotelu. Pewnie nie może spać!

Maja przypomina sobie artykuł w gazecie. Anita boi się, że ktoś zostawił zapaloną świeczkę.

Tymczasem Anita Fatima odstawia świecznik do szafy.

Nagle Maja czuje na swoim ramieniu czyjąś rękę! Aż podskakuje ze strachu. Kiedy się odwraca, napotyka wściekły wzrok Renaty Gloss!

– Czego tu stoisz i szpiegujesz? – syczy Renata.

– Ja... – szepcze Maja.

Próbuje wymyślić jakieś zgrabne kłamstwo.

– Może szukasz swojego kolegi? – pyta Renata.

– Mhm – potakuje Maja.

Renata chwyta ją mocno za ramię
i prowadzi energicznie w górę
po schodach aż do pokoju numer
czternaście.

– Zaraz ci pokażę, gdzie on jest –
mówi Renata.

Wpycha Maję przed sobą do środka
i szybko zamyka drzwi. Potem ręką
zasłania Mai usta.

Słyszą, jak zamykają się drzwi
od pokoju Anity.

Renata zwalnia uścisk, puszcza Maję
i szybko wychodzi z pokoju. Maja słyszy
zgrzyt klucza w zamku.

Jakiś dziwny odgłos powoduje,
że Maja obraca się za siebie.

Na łóżku leży Lasse. Jest skrępowany,
a wokół ust ma zawiązany ręcznik!

Maja podbiega i uwalnia go.

– Musimy zadzwonić do komisarza policji – mówi Lasse. – Ta kobieta jest kompletnie stuknięta!

Lasse wyjmuje telefon i wybiera numer komisarza. Po wielu sygnałach po drugiej stronie odzywa się Randolf Larsson.

Lasse wyjaśnia, ledwo łapiąc oddech, że razem z Mają są uwięzieni w hotelu i że trzeba szybko działać. Komisarz musi się pospieszyć!

– Nie zdążymy jej zatrzymać – mówi Maja, kiedy Lasse się rozłącza.

– Kiedy szukałem naszyjnika pod łóżkiem, obudziła się, bo przyszedł SMS od ciebie – opowiada Lasse. – Zapomniałem wyciszyć telefon! Kiedy rozległ się sygnał, ona aż podskoczyła na łóżku.

– A znalazłeś go? – pyta Maja. –
Znalazłeś naszyjnik?

Lasse kręci głową.

– Chyba go jeszcze nie przyniosła.
Musi być nadal w śmietniku.

– To co robimy? – pyta Maja,
bezradnie rozkładając ręce.

Podchodzi do okna, otwiera je
i rozgląda się za komisarzem.

– Ucieknie nam… – wzdycha Maja.

I wtedy coś dostrzega!

– Lasse – mówi Maja. – Chodź tu, szybko!

Lasse podchodzi i wygląda przez okno.

– Patrz! – mówi Maja.

Wychyla się na zewnątrz i pokazuje na gzyms poniżej okna.

– Parę metrów dalej jest drabina pożarowa – mówi. – Jeśli przejdziemy ten kawałek po gzymsie, to potem możemy zejść na dół po drabinie.

– Nigdy w życiu! – mówi Lasse. – Zwariowałaś? To niebezpieczne.

Ale Maja nie słucha. Już przełożyła nogę przez parapet i zaczyna wychodzić.

– Dalej, Lasse – szepcze w głąb pokoju.

– No nie wiem… – waha się Lasse.

– Popatrz! – Maja robi parę kroków po gzymsie. – To nie jest niebezpieczne.

– Ale tu jest tyle gołębich kup… – marudzi Lasse.

Maja wzdycha i pokazuje głową
w kierunku drabiny pożarowej.
– Mamy mało czasu – mówi.
Wtedy Lasse wychodzi i staje
na gzymsie.
– Nie patrz w dół – szepcze Maja. –
Patrz na mnie.

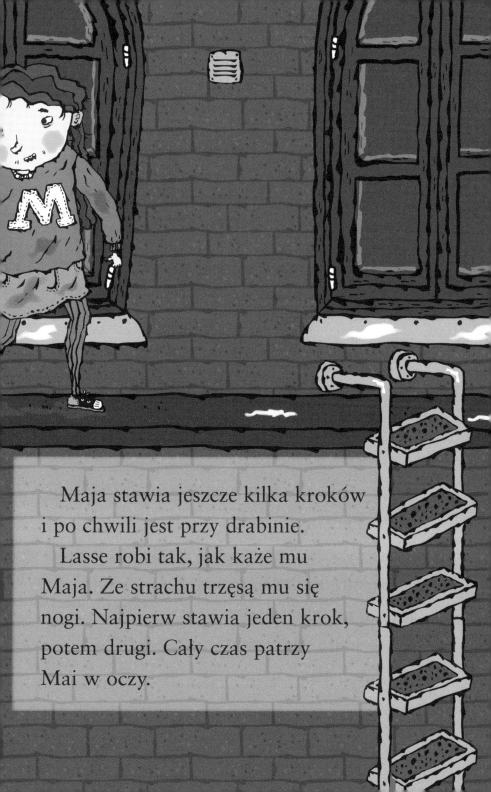

Maja stawia jeszcze kilka kroków
i po chwili jest przy drabinie.
Lasse robi tak, jak każe mu
Maja. Ze strachu trzęsą mu się
nogi. Najpierw stawia jeden krok,
potem drugi. Cały czas patrzy
Mai w oczy.

W końcu dociera do drabiny.

– Dobra robota, Lasse – szepcze Maja. – Teraz musimy się spieszyć.

Lasse oddycha z ulgą i schodzi za Mają.

Kiedy stają na ziemi, patrzą na siebie porozumiewawczo.

– Do śmietnika! – mówi Lasse. – Może zdążymy.

Biegną wzdłuż tylnej ściany hotelu. Skręcają za róg i od razu widzą szare metalowe drzwi.

– Wciąż tam jest! – woła Lasse.

Drzwi są uchylone. Podchodzą bliżej i słyszą, że w środku ktoś grzebie w śmieciach.

– Zdążyliśmy! – mówi Maja.

Podchodzi do śmietnika i szerzej otwiera drzwi.

– Renato Gloss! – woła Maja. – Mamy panią!

– Co? – odzywa się ktoś z głębi
pomieszczenia.

Lasse i Maja zaglądają do środka.
Za kublem na śmieci klęczy łysy mężczyzna.

– Leopold! – wołają równocześnie
Lasse i Maja.

Rozdział 10

Jest tutaj!

Leopold wstaje, trzymając ręce za sobą.

– Pan?! – dziwi się Lasse.

– Co „pan"? – denerwuje się Leopold.

– A więc to pan ukradł naszyjnik Barbary Palm! – mówi Maja.

Leopold patrzy zdziwiony na Maję.

– Naszyjnik Barbary? – pyta.

– Tak, naszyjnik! – Maja chwyta się pod boki.

– Co pan chowa za plecami? – pyta Lasse, świdrując wzrokiem Leopolda.

Leopold przez chwilę się waha, ale potem pokazuje to, co próbował ukryć.

Jego dłonie są lepkie od śmietany
i marcepanu. W palcach trzyma skrawki
papieru.

– Tort truskawkowy z kremem cytryno-
wym – mówi Leopold, patrząc w ziemię.

– Przepis Anity Fatimy? – pyta Lasse.

Leopold potakuje.

– Lepszego tortu nigdy nie jadłem –
mówi cicho. – Pomyślałem, że...

– ...że pan też będzie robił takie torty? –
kończy Maja.

Leopold znowu potakuje.

– To znaczy, że zrobiony przez Renatę
tort marcepanowy wciąż może być
w worku na śmieci – mówi Lasse.

– Ale nie jest – kręci głową Leopold. –
Renata dopiero co tu była. Popchnęła
mnie tak, że upadłem. Powiedziała,
że zmieniła zdanie i nie może pozwolić,
by zmarnował się taki smaczny tort.

– I co dalej? – pyta Lasse.

– Zabrała tort i gdzieś z nim pobiegła –
odpowiada Leopold.

– Gdzie ona może teraz być? –
zastanawia się Maja.

– Nie wiem – wzdycha Leopold.

Nagle z zewnątrz dobiega dobrze im
znany głos.

– Ale ja wiem – mówi komisarz. –
Jest tutaj!

Lasse, Maja i Leopold wyglądają
na zewnątrz.

Widzą Randolfa Larssona,
który z zaciętą miną mocno trzyma
szamoczącą się Renatę.

Komisarzowi ścieka pot z czoła.

– Brawo! – woła Maja.

– Zobaczyłem, jak ucieka przez Rynek. Więc pognałem za nią, żeby ją złapać.

– Nieźle – mówi Lasse.

– Przed laty zdobyłem mistrzostwo szkoły w biegu na sześćdziesiąt metrów – chwali się komisarz policji.

Renata Gloss jest wściekła jak osa.

– Barbara Palm, babsztyl jeden!

– Babsztyl? – nie rozumie komisarz.

– Kazała nam walczyć o pieniądze! Zamiast zapłacić uczciwe wynagrodzenie! Co za sknera!

– I dlatego ukradła jej pani naszyjnik? – pyta Lasse.

Renata nie odpowiada.

– Co z naszyjnikiem? – pyta Maja.

– Miała go w kieszeni – odpowiada komisarz policji i pokazuje naszyjnik Barbary Palm.

Diament błyszczy w porannym słońcu.

Valleby

Paryż

Nowy Jork

Pekin

Dzień później mieszkańcy
małego miasteczka mogą
przeczytać w gazecie:

GV GAZETA
VALLEBY

urodzinowa
awantura

GV GAZETA
VALLEBY

GV NAJŚWIEŻE
WIADOMO:

Urodzinowa
awantura

Wczoraj wieczorem w restauracji hotelu miejskiego doszło do dramatycznych wydarzeń.

Podczas urodzinowego przyjęcia Muhammeda Karata, Barbarze Palm skradziono bardzo cenny naszyjnik z diamentem.

Po jak zwykle skutecznym śledztwie przeprowadzonym przez Lassego i Maję okazało się, że to jeden z zaproszonych cukierników ukradł naszyjnik w czasie celowo wywołanej awarii prądu.

Aresztowana Renata Gloss weszła na krzesło za plecami Barbary Palm, pocałowała ją w szyję i równocześnie rozpięła naszyjnik. Łup schowała w zrobionym przez siebie torcie.

Poza tym uroczystość była bardzo udana. Muhammed Karat dziękuje wszystkim za przybycie i życzenia, a pastor prosi o poinformowanie czytelników, że ma już swoją kandydatkę do przyszłorocznego konkursu na świętą Łucję Szwecji. (*GV*)

Lasse i Maja wyjaśniają wiele niezwykłych tajemnic.
Oto książki, w których możesz o nich przeczytać:

Biuro
Detektywistyczne
Lassego i Mai

przyjmie
każde ciekawe
i niebezpieczne
zlecenie.

A już niebawem kolejne tajemnice…